# CHARLIE
## el perro de la granja

D15533541

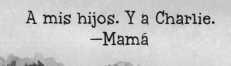

A mis hijos. Y a Charlie.
—Mamá

Originally published in English by HarperCollins Children's Books as
*Charlie the Ranch Dog*

Translated by Juan Pablo Lombana

Text copyright © 2011 by Ree Drummond.
Illustrations copyright © 2011 by Diane deGroat.
Translation copyright © 2016 by Scholastic Inc.

ISBN 978-1-338-08944-8

10 9 8 7 6 5 4 3 2 1          16 17 18 19 20

Printed in the U.S.A.    40
First Scholastic Spanish printing 2016

Typography by Rachel Zegar

Cuando se cocina es importante pensar en la seguridad. Los chicos siempre deben pedir permiso a los adultos antes de cocinar
y deben estar bajo la supervisión de un adulto en la cocina en todo momento. La editorial y la autora no asumen responsabilidad
por ningún tipo de daño que pueda ocurrir a partir del uso, debido o indebido, de la receta que aparece en este libro.

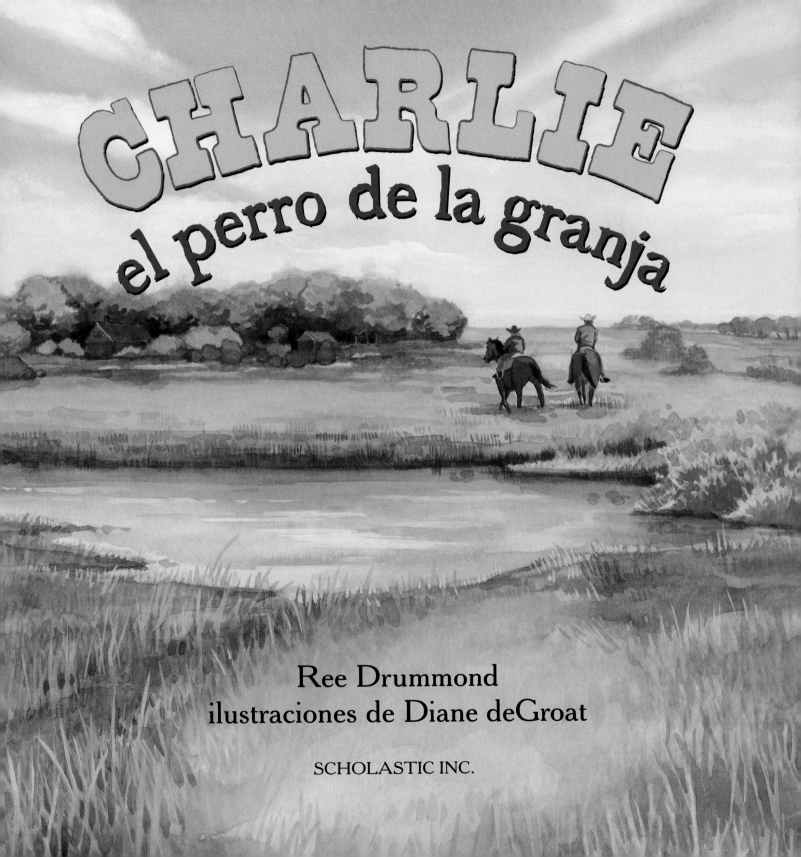

# CHARLIE
## el perro de la granja

Ree Drummond
ilustraciones de Diane deGroat

SCHOLASTIC INC.

# Ah, hola.

Mi nombre es Charlie. Vivo en el campo.
Soy un perro de granja.

# Esta es Suzie.

Es mi mejor amiga.

No nos parecemos en nada, ¿verdad?

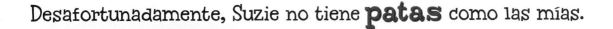
Desafortunadamente, Suzie no tiene **patas** como las mías.

Ni los ojos caídos.

Ni la piel flojita.

Ni... orejas
largas que cuelgan.

Las orejas de Suzie no cuelgan, nunca
han colgado y nunca colgarán.

Yo trato de no sacárselo en cara.

Claro que... Suzie puede correr muy rápido.

Y cavar.

Y saltar.

¡BOING!

Yo nunca he saltado mucho. Aunque he tratado, no creas que no.

He tratado... y tratado... y tratado.

Es que mis patas no funcionan de esa manera.

Pero nada de eso importa. No importa si eres alto o bajo o
rápido o lento, o si tienes orejas pequeñas o que cuelgan,
aquí hay trabajo suficiente para ambos.

Todos los días, lo primero que hacemos es levantarnos temprano.

Muy temprano.

Cuando todavía está OSCURO.

Mejor voy a despertar a Suzie. Nunca le ha gustado madrugar.

Bueno... parece que esta mañana madrugó.

Supongo que siempre hay una primera vez.

Lo siguiente que debo hacer es perseguir a Daisy,
la vaca, y sacarla del patio.

Daisy *sabe* que no debe estar en el patio.
Algunas vacas nunca prestan atención.

Bueno... parece que voy a dejar que Suzie lo haga esta vez.

A veces me gusta darle oportunidad de que se luzca.
Es una de mis cualidades.

Bueno, ahora que Daisy está bajo control, es hora de oler los escalones del porche. Tengo que mantener alejados a todos los animalejos.

Oler los escalones del porche es un trabajo duro. Arriba, abajo, arriba, abajo.

mmff...

mmff...

mmff.

Mmff...

Mmff, mmff.

Mmff.

Ya. Todo limpio ahí abajo.

Menos mal que estoy acá para mantener
a raya a los animalejos.

Después de oler los escalones del porche, me gusta descansar y desayunar. Uno no puede hacer todo este trabajo con el estómago vacío.

Ñam. El desayuno es vida.

Después de desayunar, suelo ir a ayudar a la mamá en el huerto. La mamá adora el huerto.

No entiendo por qué. Yo preferiría un jardín de tocineta. De todos modos, voy y ayudo.

Menos mal que la mamá me tiene a mí para que la ayude.
De ninguna manera podría hacerlo todo sin mí.

Bostezo

Todavía no es hora del almuerzo y ya he trabajado
más que cualquier perro común.

Creo que voy a sentarme un minuto a descansar.

Creo que voy a...

voy a...

ZZZZ ZZZZZZZZ...

¿Eh? ¿Qué pasó?

Ah. Debo de haber cerrado los ojos
un instante por equivocación.
¡Mejor vuelvo a trabajar!

Después de todo, trabajar es para lo que soy bueno.

Tengo que arrear ganado...

poner cercas...

y pescar. Todos saben que soy
un experto pescador.

Por fin, volvemos a la casa. Suzie está lista para almorzar.

Yo suelo acompañarla y también almuerzo.
No me gusta que Suzie tenga que comer sola.

Después del almuerzo, a Suzie le gusta acostarse y tomar una siesta. Yo suelo hacer lo mismo.
No me gusta que Suzie tenga que tomar una siesta...

sola.

ZZZzzz...

# ¿Eh? ¿Qué pasó?

Ah. Debo de haber cerrado los ojos un instante por equivocación.

Eh... ¿hola? ¿Dónde están todos?

Caray. Parece que se fueron a trabajar sin mí.
No hay más remedio que tomar otra siesta.

Un momento... ¿qué es eso?
Me parece oír el ruido de bestias merodeando.

Ajá. Por poco...

Menos mal que decidí quedarme en casa. De lo contrario, quién sabe qué habría pasado.

Ahora, si me perdonan, creo que voy a acostarme a descansar un minuto. Ha sido un duro día de trabajo.

Solo espero que Suzie recuerde despertarme antes de la cena.

ZZZZZZ...

# La lasagna favorita de La Mujer Pionera (y de Charlie)

## 8 porciones generosas

¡Cocina con cuidado! Siempre debes cocinar con un adulto.

¡No toques cuchillos afilados ni hornos ni fogones calientes!

Y lávate las manos antes y después de cocinar.

## Ingredientes

1 paquete de pasta de lasaña de 10 onzas

1 ½ libras de carne molida

1 libra de salchicha de desayuno

2 dientes de ajo, picados

2 latas de 14,5 onzas de tomates enteros

2 latas de 6 onzas de pasta de tomate

¼ de taza de perejil picado

10 a 12 hojas de albahaca

1 cucharadita de sal

3 tazas de queso cottage bajo en grasa

2 huevos, batidos

1 taza de queso parmesano rallado

2 cucharadas adicionales de perejil picado

1 libra de queso mozzarella en rodajas

Queso parmesano para espolvorear

## Instrucciones

1. Cocina las láminas de lasaña siguiendo las instrucciones del paquete. Cuélalas y ponlas sobre papel aluminio o papel para hornear galletas. Sonríe y hazle un guiño a tu perro.

2. En una sartén grande, mezcla la carne molida, la salchicha y el ajo. Cocina sobre un fogón a temperatura media/alta hasta que la carne se dore. Escurre la mitad de la grasa y deséchala. Añade los tomates, la pasta de tomate, ¼ de taza de perejil, albahaca y ½ cucharadita de sal. Cocínalo a baja temperatura por 45 minutos. Saca a pasear a tu perro.

3. En un cuenco mediano, mezcla el queso cottage, los huevos, 1 taza de queso parmesano, 2 cucharaditas de perejil picado y ½ cucharadita de sal. Revuélvelo todo. Ponlo a un lado.

4. Para armar la lasaña, pon 4 láminas de lasaña cocinada en el fondo de una cacerola para hornear honda y rectangular. Está bien si las láminas se superponen. Pon la mitad del queso cottage sobre las láminas y espárcelo. Cubre el queso cottage con una capa de rodajas de queso mozzarella. Pon un poco menos de la mitad de la carne mezclada encima. Repite esto en varias capas hasta que se termine la carne mezclada. Esparce generosamente queso parmesano por encima.

5. Puedes congelarla, refrigerarla hasta por dos días o cocinarla inmediatamente en el horno a 350 grados durante 30 minutos, o hasta que haya burbujas en la superficie. ¡Dile a tu perro que ya falta poco!

6. Deja que repose por 10 minutos antes de cortarla en porciones cuadradas. Sírvesela a personas laboriosas... y a perros.